© Peralt Montagut
D.L. B-28.063-2005
Imprimé en Espagne

Le Petit Soldat

de Plomb

Illustré par Graham Percy

PERALT MONTAGUT EDITIONS

Il était une fois un petit garçon qui avait parmi ses jouets une boîte en carton contenant vingt-cinq soldats de plomb. Ils se ressemblaient tous, sauf un qui n'avait qu'une jambe.
Mais il se tenait tout aussi droit que les autres sur son unique jambe.

Le petit garçon possédait d'autres jouets dont le plus gros était un château en carton. Devant le château se trouvait un groupe de petits arbres à côté d'un lac fait d'un miroir rond où nageait deux cygnes de cire.

Près du portail du château il y avait le plus beau jouet de tous: une petite danseuse en carton. Elle portait un tutu de fine mousseline et sur le ruban bleu qui entourait ses épaules brillait une magnifique paillette rose.

La petite danseuse levait la jambe si haut, que le petit soldat de plomb croyait qu'elle n'avait, comme lui, qu'une seule jambe.

«Comme je serais heureux avec elle», pensa-t-il. «Mais, hélas… elle vit dans un château, alors que moi, je dois partager une boîte en carton avec vingt-quatre autres soldats.»

A minuit, tous les jouets sortirent de leurs boîtes pour s'amuser. Une autre boîte rayée s'ouvrit brusquement et un petit pantin surgit. Il grogna en direction du petit soldat de plomb: «Arrête de regarder la petite danseuse!» Le petit soldat de plomb ne répondit rien.

«Très bien. Tu verras demain matin ce qui va t'arriver.»

De fait, le lendemain matin, le petit garçon
plaça le petit soldat de plomb sur le rebord
de la fenêtre. On ne saura jamais si ce fut le
vent ou le pantin qui le poussa, mais
soudain, le petit soldat de plomb bascula
par la fenêtre

et tomba sur
les pavés
humides de
la rue.

Lorsque la pluie s'arrêta,
deux petits garçons qui
passaient par là et
s'amusaient dans
le ruisseau
découvrirent le petit
soldat de plomb.
«Faisons-lui un
bateau en papier.»

Ils mirent alors le petit soldat de
plomb dans le bateau en papier
et bien qu'il eût très peur, le petit
soldat de plomb resta immobile,
les yeux fixes, sans broncher,
le mousqueton sur l'épaule,

tandis que le bateau
s'engouffrait dans un
grand égout noir.

Il faisait très sombre dans l'égout.
«Si seulement la petite danseuse était
avec moi, ce serait un moindre mal!»
se disait le petit soldat de plomb.

A ce moment précis apparut un gros rat d'égout qui courut à côté du bateau en criant:
«Votre passeport, s'il vous plaît!»
Le petit soldat de plomb resta muet et serra son fusil encore plus fort.

Le rat d'égout cria aux fétus de paille et aux bouts
de bois qui flottaient au fil de l'eau:
«Arrêtez-le! Arrêtez-le! Il n'a pas son passeport!»

Mais dans
son petit bateau
de papier, le petit
soldat de plomb
filait… filait… entraîné
par le puissant courant.

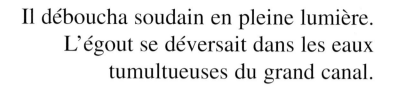

Il déboucha soudain en pleine lumière.
L'égout se déversait dans les eaux
tumultueuses du grand canal.

Le bateau tournoyait sans cesse et se remplissait
d'eau.
Le petit soldat de plomb restait quand même au
garde-à-vous et lorsque le bateau commença à
sombrer, il pensa:
«Je ne reverrai plus jamais la jolie petite danseuse.»

Puis le bateau se disloqua et le petit soldat de plomb fut entraîné de plus en plus profondément dans un tourbillon d'écume.

Il fut happé par la mâchoire d'un très gros poisson
et se retrouva au fond de son estomac.

Il faisait de plus en plus noir et le petit soldat de plomb était de plus en plus à l'étroit, mais il restait toujours impassible. Il était couché sur le dos, bravement, le mousqueton sur l'épaule.

Soudain, le poisson bondit… se mit à tourbillonner
dans l'air et retomba brutalement sur l'herbe.
Il venait d'être pêché.

Quelques instants plus tard, une vive lumière inonda
le petit soldat de plomb lorsqu'on ouvrit
le poisson pour le manger.

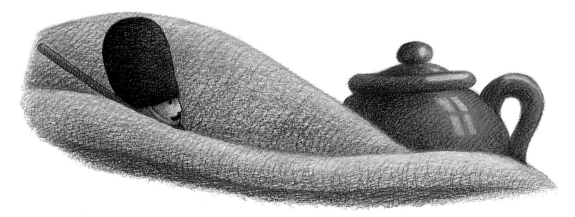

Imaginez sa surprise quand il entendit crier:
«Oh! C'est le petit soldat de plomb!»
Le poisson avait en effet été acheté au marché
par la mère du petit garçon!

Le petit soldat de plomb se retrouvait
miraculeusement dans la maison d'où il
était tombé avant ses aventures nautiques.

A nouveau, il se tenait bien droit… comme avant…
sur la même table… et dans la même chambre.

Et là, toujours à côté du portail du château, il y avait la jolie petite danseuse.
Elle n'avait pas bougé, elle non plus, et le petit soldat de plomb eut envie de pleurer de joie.

Leurs regards se croisèrent, mais ils gardèrent le silence.

Tout d'un coup, le petit garçon prit le petit soldat de plomb et le jeta brutalement dans le feu, pour rien, sans aucune raison, comme le font parfois bêtement certains petits garçons.

Au cœur de la terrible chaleur, le petit soldat de plomb regardait maintenant la petite danseuse et elle le regardait.
Et bien qu'il se sentit fondre peu à peu,

il restait impassible, tenant son mousqueton fermement contre sa petite épaule.

C'est alors que la porte de la chambre s'ouvrit et que le vent souffla sur la table…
souffla si fort qu'il emporta la petite danseuse.

Elle s'envola comme une fée et tomba dans le feu à côté du petit soldat de plomb.

Les flammes redoublèrent
de plus belle et
elle disparut.

Le lendemain matin,
quand on enleva les cendres
froides de la cheminée, le petit
garçon s'aperçut que le petit soldat
de plomb avait pris, en fondant, la forme
d'un cœur, et sur ce cœur trônait tout de qui
restait de la petite danseuse:
la paillette rose devenue noire comme une escarbille.